KB016181

Rejoice always

당신의 봄을 응원합니다.

- 웃음을 잃지 마요 당신이 밝게 웃던 그날을 기억해요 -

웃음이 주던 그날의 추억을 잊지 마요.

행복하세요.

I'm Happy

한참을 서서

|

조용히
듣고 있습니다

한참을 서서
조용히
듣고 있습니다

최규석

instagram @manta_choi

작은 카페를 운영하며

조용히 앉아 글을 쓰고 있습니다.

목차를 나누자면 이제 3막을 살아가고 있으려나요.

1막 : 아무 생각도 없었다.

2막 : 놀고 싶은 생각은 들었다.

3막 : 제목을 입력해주세요.

사실 3막의 시작은 얼마 지나지 않았습니다.

생각이 없던 1막에서는 아무런 생각과 선택도 없었죠.

2막에 들어서며 겨우 놀고 싶다는 생각은 들더군요.

그리고 재작년 즈음

무언가를 해보고 싶은 마음이 들며 3막이 열렸네요.

울고 싶은 날도 웃고 싶은 날도 생겼으니

뭐든 정말로 해보려고요.

< 미소가 익숙해 웃음이 어려워요 >

이예희

instagram @joyjisyu

email joyjisyu@naver.com

무심히 지나던 골목길,

봄바람에 살랑이며

고요히 노래하는 개나리꽃

특별할 것 없는 길거리에 핀 꽃이

무엇을 위해 이렇게 움직일까

답이 아닌 물음을 주고 싶습니다

눈이 가는 곳에 물음을 던지며

인생사에 작은 울림을 주고 싶습니다

시들한 꽃이 아닌,

생기 가진 꽃이 되길,

< 세상을 투명하게 보는 일 >

도한욱

글과 음악을 좋아합니다.

솔직한 감정과 소중한 마음을 안고
나를 찾는 여행을 하고 있습니다.

하얀 겨울의 눈사람 같은 존재가 되고 싶어
오늘도 묵묵히 계절의 시간을 걷습니다.

< 솔직한 감정 소중한 마음 >

문성현

instagram @sh_ining_moon

@poetry_hyun

부치지 않는 연서와

지나간 낭만과

한 사람에게 들려줄 자장가를

씁니다.

< 새벽이 나를 한번 씻어가기를 >

이진수

instagram @leejinsu001

email vos1201@hanmail.net

힘든 마음을 치유 받기 위해 시작했던 글이
어느덧 치유를 넘어 가슴 깊게 스며들었습니다

그저 복잡한 마음과 감정들 생각들을 글자로 남기며
위안받고 위로받았던 한 부분이 이제는 얼마나 큰
힘이 될 수 있다는 사실을 알게 되었습니다

저에게 치유와 꿈과 희망을 선물해주었던 글을 통해
앞으로 시간을 많은 분과 더 나누며 공감하는 시간을
쌓아가고 싶습니다

누군가의 말이 누군가의 감정이 누군가의 생각이
글로 하나 되어 가슴 깊이 울림이 오는 그 날까지.

< 감정을 느끼는 우린 감정노동자 >

최규석

미소가 익숙해 웃음이 어려워요

_ 시인의 말

당신의 숲이 되겠습니다
기왕이면 대나무가 많은 게 좋을까요

매일 찾아주진 않으셔도 됩니다

울지 못한 날에
화내지 못한 날에
거절하지 못한 날에

움직이지 않고 있을 테니
여기로 와주시면 됩니다

괴롭혔던 사람
외로웠던 마음
힘들었던 하루
전부 여기에 뱉어놓고 가십시오

다만 지쳐버린 당신이
모든 걸 놓고 갈까 걱정입니다

다른 건 몰라도 자그마한 모든 행복은
잊지 말고 챙겨 가십시오

이제 당신의 오늘은
행복한 하루였습니다

충분히 아름다울 만큼 푸르다

손끝이 타들었지만
아직 푸른걸요

녹빛의 잎들이
연약하게만 보인 대도
벌써 나를 포기하지 말아요

당신이 슬프게 여기는
약간의 상처는
그저 묵은 때 같은 것

문틈에 손가락이 짓이겨져도
울지 않아요

싱그러움은 사라지지 않고
뿌리는 단단하니
나의 초록빛을 봐주세요.

명왕성

너의 우리 안에 나를 들여도
너의 무리 밖으로 나를 뱉어도

변한 게 없는걸

항상 그대로의 나와
항상 같은 거리에서

다만 달라진 게 있다면
너의 시선

그래

나는 변함없이
명왕성.

초록불

두려워했던
초록불이 켜졌다

시동이 걸리지 않아 움직일 수 없는데

뒤에선 경적이 잔소리처럼 울리고
창밖으론 수많은 손가락들이 지적해댔다

더는 집에만 머물러 있을 수 없어
밖으로 나왔건만

운전할 준비도 안 된 놈은
집에서 밥이나 처먹고 있으라는 고함엔
어떤 표정으로도 대처할 수 없었다

얼굴만 붉어질 따름이었다.

보고 싶었어

벚꽃이 펴서
알고 있었어

걷자는 나의 말을
덥석 잡아버린 너의 표정을
좋아하냐는 덧없는 농담에
부끄러워 꿈틀대는 손가락을

걷다 보니

벚꽃이 펴서
알고 있었어

너의 걸음걸이가 느려도
답답하지 않은 이유를
너의 작은 발이 돌아서면
평생 외로울 그 기분을

그러니까,,, 알고 있니

벚꽃이 폈어.

사춘기

볼이 붉어지고
여드름이 났어요

한 개도 아니고 여러 개가요

장담하건대 이건 다
그대 잘못이에요

심장이 동동 뛰게 만드는
특별한 사람이 된 것 같은
열다섯의

사춘기가 다시 찾아왔어요
그대 때문에요.

노을

파란빛인지
붉은빛인지

해가 지는 하늘을 보며
혼란스러운 밤을 보냅니다

바다를 좋아하는 그녀는
이 짙고 푸른 하늘도 좋아하겠죠
하나 깊고 차가운 바다에
나 혼자 떠다니고 있진 않으려나요

그렇게 넘어가는 해처럼
관심이 사라져 버리면 어떡하죠
하나 붉어지는 노을이 아름답듯
내일은 나를 찾아주지 않을까요

파란빛인지
붉은빛인지

설렘에 두근거리며
혼란스러운 밤을 보냅니다.

혀를 삼켰습니다

상처를 주면 안 되기에
혀를 목구멍으로 삼켜버렸어요

세상에는 말을 줄이라는 조언만 많으니
차라리 벙어리가 된다면
올바른 사람이 될 것 같았거든요

하지만 당신이

착한 나를 기억하지 못하고
이름 없는 행인으로 남겨버리면 어떡하죠

하지만 내가

착한 나를 기억하지 못하고
이름 없는 행인이 되어버리면 어떡하죠

물론 당신이 말하듯
입은 하나고, 귀는 두 개라는 사실엔
틀린 게 하나도 없어요

그저 내 안에서 늘어가는 타인으로부터
내가 겨우 살아남으려면

입은 하나뿐이고,
귀는 두 개니까

불리한 것만 같아
억울한 마음이 들 뿐이죠.

다시 알려주세요

숨을 쉴 줄 몰라요
입을 나에게 맞추어
호흡을 알려주세요

심장이 어떻게 뛰는지 몰라요
가슴을 맞대고 꼬옥 안아
두근대는 박자를 알려주세요

나를 오해할지 몰라도

그대를 만나면 머리가 새하얘져
숨이 어색해지고
심장이 이상하게 뛰는 걸요

그러니 그때마다 다시 알려주세요
가빠지는 호흡을, 두근거림을.

라디오

너에게서 들리는 모든 말에
지지직,,,지지직,,, 잡음이 섞여들어
한 문장도 제대로 이해할 수 없다

거기에다 고막을 찔러대는
불규칙한 소리
신경은 머리끝까지 곤두섰다

도저히 버티지 못하면
네 말이 나오던 라디오를
툭
끊어버리는 수밖에

그러고도 한참 동안 씩씩대고 있다가
왜 주파수가 잘못 맞추어져 있지

친절하고 정갈하게 보내온 말을
애써 시끄럽게 비꼬아 들은 건 나였다

조금만 주의했어도 없었을
사소한 실수로.

작은 별

밤하늘을 덮고 누워 있다가

별을 따 주겠다고
거짓말을 했습니다

아름답게 반짝이는 별이 있다면
다시 나에게 반할 것 같았거든요

아니면
당신이 날 놓을 것 같았거든요

별안간 눈물이 났습니다

나는 장난치는 척 급하게 눈을 감고
다섯 손가락을 펴 하늘로 팔을 뻗었습니다

감은 하늘은 여전히 어두운데
무언가 손에 반짝이더군요.

별을 닮은 작은 손.

애초에 별이 있으니
무서워하지 말라는 그런 마음일까요

별은 참 따뜻해
다시는 몸을 떨지 않을 것 같습니다
꼭 쥐고 있겠습니다

작고 예쁜 별이네요.

맑은 날에 솜구름

맑은 날에 솜구름
그 뒤엔 전설이 숨어있지 않을까

맑은 날, 나직한 햇살에 누워 있자면
평화롭고 쓸데없는 생각만

가만히 손 뻗어 네 손 잡으면
행복이 뭔지
고민하던 순간도 잊어

따뜻하고
졸립고
뿌듯하다.

그리운 시간은 항상 밤이라 달이 보였다

그리운 시간은 항상 밤이라
하늘을 올려다보면
달이 보였다

그러니 태양이 될 수 없었다

전화를 걸어
목소리를 들어도

올려다보며 찰나의 미소를 짓다
강에 비친 밤을 훑기면
슬픔이 턱 끝으로 흘렀다

머금어지다
흘려지다

다시 너에게 비추어지면
그제야 밝아졌다

그리운 시간은 항상 밤이라
달이 보였다.

미안한 사람들

해준 게 없어 미안하다

해주지 못해 미안해

바라지도 않았는데
받을 것도 없는데

오는 사랑에
고마운 슬픔이 묻어 있다

힘들지 않을까

순수하게 행복만 있는
쉬운 사랑은 없을까

고민하며 전하는 나의 사랑에도

심장이 있듯
미안함이 있다.

개미는 일한다

열심히 일하던 개미들
귀엽다 싶기도 했는데

내 집에 들어오자
나는 죽여 버렸다

화가 난 걸까
두려운 걸까

버려야 하는 건

개미 시체이기 이전에
썩어가는 음식물일 텐데

변하지 않는 내 집엔
새로운 개미만 새롭게 죽어가려나.

메아리

같은 마음이었어

너와 나의 소리가
다른 높낮이로 퍼져나가도

함께 식탁에 앉아 술 한 잔을 하자면
나의 단어들이 너에게서 들려 왔었지
끊이지 않는 테니스 랠리처럼 말이야

난 즐거웠어
그리고 그게 문제였지

메아리는 어떻게 해도
차츰 희미해지는 거니까

타인의 목소리에 바래지고
지나간 순간들에 쇠퇴하고
울림은 상쇄되어 사라지다
의미는 익숙해져 시들어버리니까

일방적인 바람의 반향은
오래가지 못하는 게 당연한 거였지

다른 마음
다른 소리
다른 아픔
다른 고통

행복이라는 명분 아래
너만의 무언가를 깊은 곳으로
가라앉히고 있었던 거지.

부엉이

온기가 꺼지고 밤이 와도
외로운 달은 잠에 들지 못해
쓸쓸히 별을 세며 시간을 보낸다

그런 달이 부엉이는 걱정되어도
해줄 수 있는 건
함께 깨어 있는 게 고작이라
졸음이 쏟아져도 눈을 더 크게

거울 같은 동공에 가득 담아
작은 달을 띄운다

어둠 속에 보이는 둥근 불빛에
달은 그제야
혼자가 아니구나

조금씩 기울어지다
지평선을 덮어 잠이 들고

부엉이도 눈을 감는다.

당신을 데려올 바람

불어오는 바람에
머리칼이 살랑이고
보고 싶어지는 바람에
마음이 일렁인다면

마음속의 당신으로도 헛바람이 들었다
우리의 거리만큼 길게 찔려
흘리듯 내쉬었던 그리움을 알아주세요

나비의 날갯짓을 만들 요량으로
길게 뻗은 한숨이었다는 것도.

타이밍

의자에서 일어나려는데
고양이가 뛰어올랐다

반쯤 일어선 나에게서
착지할 곳을 잃어버려
고양이는 발톱을 세웠고

아쉽게도 피부는 나무껍질이 아니라
떨어지는 발톱을 따라 스으윽
갈라졌다

평소와 다름없던 오늘
예상치 않게 그어진 기다란 상처에선
핏물이 줄줄

그러나 탓하지 않고
묵묵히 피를 닦는 건

타이밍이 맞지 않다는
그런 이유로 상처가 생긴 것이
오늘이 처음은 아니었기에.

비가 그치고

비가 그치고
해가 뜨기까지

창안에서 바라만 보았다

무엇이 두려워
창밖을 나서지 못한 걸까

비였나 해였나
밖이었나.

파랑새가 보인다

가만히 있고 싶어도
컨베이어 벨트는 돌아간다

나는 무슨 생각으로
속가죽을 다 벗으며
접시에 기어 올라갔었나

도시는 빠르게 돌아가고

내려다보는 사람들은
뭐가 맛있을까
젓가락을 들이미는데

아
파랑새는 날개를 펄럭이면서도
가만히 떠 있구나.

옷걸이

음악 소리, 술잔 소리, 쩝쩝대는 말소리

정신없이 마신 술에
정신은 혼미한데

그에게 붙은 모기

말쑥하게 정장을 입은 핼쑥한 그에게
피가 남았을까

남자는 옷걸이가 되어가고

정신없이 마신 술에
정신은 혼미한데

사람들의 입은 기이하게 뾰족해

썰어낸 육회가 달다
눌린 편육이 쫄깃하다

뭐가 그리 맛있는지.

자전거 주인

자전거를 누가 훔쳐 갔다며
친구가 투덜댔었다

오랫동안 타지도 않아
바퀴에 거미줄이 쳐져 있고
안장엔 먼지와 꽃가루가 가득

그 자전거를 왜 훔쳐갔을까

그 일이 있고 몇 달이 지나
건물 앞에 세워진 네 자전거를 만났다

밝은 색깔과 기름칠 된 체인을 보며

이제야 주인을 만났구나 싶었다
훔쳐진 게 다행이다 싶었다

미안하지만 친구야
더 이상 너의 자전거는 없단다.

좁고 지저분하다

이런 곳이었나

어느 순간 귀찮아지더니
더는 두고 볼 수 없을 만큼
한가득 어질러진 내 작은방

쓰레기 같은 옷들을 치우고
쌓인 먼지를 닦고
책상을 옮겼다

오래지 않은 정리 끝에
꽤나 넓고 아늑해진 작은방

그러나 좁고 지저분한 건
내 집만은 아닌 건지

씻고 나면 달라지려나

옷을 벗어
쓰레기처럼 던져두고는
욕실에 들어갔다.

답

네 말이 정답이네

라는 말을 듣고
내가 똑똑한 줄만 알았지

정답이라 쉽게 말할 수 있는 그가
진짜 정답이라고는 생각하지 못했다

덕분에 스스로가 솔로몬이라도 되는 양
일종의 자신감으로 으스댈 수 있었고

아무 말을 지껄이면서도
생각을 정리해나가며
나를 알아갈 수 있었다

정답과 오답은 경계 없이 흘러가고
세상엔 정말 똑똑한 사람이 많아

수많은 정답들이 명확하게 스스로 드러내는데

모든 걸 안다고 생각했던 순간에
가장 부족하고 멍청했던 나는

당신이 정답이라고
쉽게 말할 수 있는 사람이 되고 싶다.

옆에 있길

천둥이 울려 달려가 보아도
꽃은 까맣게 타버렸습니다

소리가 빛보다 늦어
억울하다 말해보지만

아직도 살아있는지 모르는 별은
여전히 하늘에 반짝이고 있으니

그저 부고가 들려오기 전
죽음을 알고 싶다고 생각했습니다

입에서 눈물이 흐르더라도

꽃이 타버리고
꽃잎이 아스러지는 순간에

옆에 있길 바랐습니다.

지렁이

엎어진 얼굴 옆에
지렁이가 꿈틀대고 있다

그가 말해준 그의 꿈은
소박하기 그지없었는데

그저 누군가가 밟으면 아프다고
꿈틀댈 수 있는 지렁이가 되는 것이라 했다

때로는 아플 때 아프다고
온몸으로 소리치기만 해도
커다란 발바닥이 사라진다고
두려움이 무서워하며 피해간다고

움직일 자신도 없는
짓눌린 얼굴 옆에
작은 지렁이가 춤을 추고

비가 온다.

지금은

날이 맑은 날
밤하늘엔 별이 빛난다

노르스름한 하얀빛
그 먼 어둠을 밝혀온 당신은

마주하고 있는 지금
살아있는가 죽어있는가

모르는 것에 희망을 두는 것이
무슨 의미가 있겠느냐마는

언젠가 지나간 시간에
당신이 밝게 빛나고 있었다는 사실은
정말로 다행이라

그렇게 생각을 그친다.

토

꼭꼭 씹지 않아서는 아닐 테고

어쩌다가
그 미끄러운 미역국을 마시는데도 체했는지
울렁임을 버티다
기어코 쓰레기통에 머리를 숙였다

소화는 하지 못할망정
더 쌓아놓기만 하였나

삼켜버린 것보다
더 많은 것들이 쏟아져 나오고
헐어버린 목에 쓰라림이 아득한데
쓰레기통을 가득 채우는 저 익숙한 것들은

언젠 가의 내 시간일까

제대로 익힌 것 하나 없이 헛먹은 나이는
소화되지 않을 수밖에.

행복을 가리키는 나침반

흔들거리는 침을 보려면
방향을 잃은 나는 가만히 멈추어야 했다

고개를 숙여 불안한 나침반을 보고 있자면
지나치는 발걸음만 쫓아 마음이 흔들렸다

앞만 보고도 걸어가는 사람들은
마음속에 지도를 안고 태어난 걸까.
출발지, 경유지 1, 경유지 2,,, 목적지까지
전부 알고 있었던 걸까

언제 만들어졌는지도 모르는
낡은 나침반 하나 겨우 손에 들고
정말 맞기는 한 건지

고개를 숙인 탓에
나침반이 흔들리는 탓에
지도가 없는 탓에

발바닥은 땅에 붙은 채 발가락만 꼼지락대고
눈앞은 일렁였다.

눈

같은 출발지에
같은 도착지

결국, 한줄기의 물이 되겠지만
당신은 눈을 참 좋아하니까

마음을 단단하게
여전히 순수하게

비가 되어 내리지 않고
한 걸음 한 걸음

소복소복.

물감을 채우는 아이

아이가 흙바닥에 곡괭이질을 하여
자그마한 굴을 파고는
분홍빛 물감을 채워 넣는다

그 이해할 수 없는 모습이
귀엽기도 궁금하기도 하여
재미있냐고 물어보자

아이는 한심하다는 듯 한숨을 쉬고
재미로 하는 일이 아니라
해야만 하는 일이라고

지구를 향하는 작은 홈에
분홍빛 마음을 가득 부어
세상을 사랑으로 채우려는
아기자기하고도 장대한 계획

이루어지지 않을 포부와 고귀한 희생에
나도 한번 어울려 줄까

팔에 힘을 주어 곡괭이를 잡는다.

돌담

화산회가 섞인 검은 돌을 쌓아
가슴 높이로 나지막하게

내 주위에 늘어놓고는
마땅한 자신감으로 마무리 지었다

수많은 빈틈이 있기에
거센 바람에도 무너지지 않게

인부와 시멘트가 없는
나약한 나라도 쓰러지지 않게

완벽을 눌러 담지 않는
허술한 모습 그대로

끝끝내 살아남을 것이다.

수족관의 가오리는 웃고 있다

작은 새야

나에게 날개가 있다고
엄청나게 크다고 말해주어도

아주 작은 날개를 가진 네가
언제나 더 높게 나는걸

필사적인 숨구멍과
배고픔에 벌어진 입이

웃는 얼굴 같다며
저기 밖에서 사람들이 키득대는데

아무도 보지 않는 화난 눈과
날지 못하는 지느러미를
누가 제대로 볼 수 있을까

작은 새야

나에게 날개가 있다고
엄청나게 크다고 말해주어도

바다 위를 날 수 없는걸
유리창을 깰 수 없는걸.

유리조각을 보며

유리컵이 산산조각 나기까지
얼마나 시간이 길던지요.

빈 잔은 느긋하게 기울어지는데
잡을 수 있겠다 생각하다
두 손에 쥐고 있는 것들이 보였습니다

늘어난 나이테로는
떨어지기 전에 한 발짝

뒷걸음치는 게 고작이었습니다

다만 깨어지는 순간만은 정말로 순식간이라
안정감이 갈라지는 소리엔
관자놀이부터 명치까지 지끈거리더군요.

놀란 마음에 눈을 질끈 감고는
소리 없는 숨을 크게 들이쉬자

작은 바람에도 고개를 숙이던
갈대와 같던 날들은 이미 지나가 버려

살랑

이파리가 흔들리는 게 고작이었습니다.

이예희

세상을 투명하게 보는 일

_ 시인의 말

어둠이 드리운
캄캄한 세상

등잔 밑이
어둡지 않게
두렵지 않게

밝게 비춰 줄
시를 선물합니다

3월 31일

오후 다섯 시,
옆구리를 파고들던
겨울의 찬 바람은
온데간데없어지고

꼬리를 길게 뺀 태양이
모두를 노랗게 물들인다

학생들은 큰 가방 메고서
하하 호호 옹기종기 모여
학원과 노래방을 들르고

어른들은 벤치에 앉아
겨울 동안 피지 못한

오랫동안 묵혀두던
이야기꽃 만발한다

일기장

먼지 덮인 일기장
큰 숨 몰아쉬어 불어내니
피어오르는 생각거리

누렇게 바랜 종이 곳곳
스며든 어린 날의 추억거리

한 글자, 한 문장
삐뚤게 쓰인 글을 보며
어렴풋이 떠오르는
오랜 날의 일을 회상한다

무엇이 아팠나, 무엇이 힘들었나
지금은 알 수 없는
어린 시절의 나의 모습

같은 나이건만
다른 시간 속에 사는 우리

고백

간질거리는 가슴 한편
여러 말이 왔다 갔다

한두 번도 아닌 것을
얼굴은 다 익은 토마토처럼 벌게지고
양손은 힘없는 대파처럼 바들바들

바짝 말라버린 입술 겨우 오므려
불러버린 그대 이름

동그란 눈 지그시 날 바라봐
그새 하려던 말 잊어먹고
무심결에 툭 내뱉어진 한 마디,
좋아합니다

개나리꽃

공원 옆을 지나며 덤불 사이
개나리꽃 핀 걸 보았다

무심결에 지나가다
죽은 듯 보이는 가지 또한
잎을 피우려는 게 눈에 띄었다

조금 더딜 뿐
앙상해 보이는 가지에도
봄날이 오는 것을 깨달았다

바람

답답한 속 달래려
굳게 닫힌 창가 문을
힘껏 열어젖혀 본다

달리는 버스 안,
꽃 피는 봄 시샘하는
겨울바람 때문인지

냉기 품은 거친 바람
공허한 마음만을 쓸고 간다

영원

양초의 불이 다 하면
우리의 사랑도 끝이 나겠지

영원할 줄 알았던
우리의 만남은

공중에 흩어지는 연기처럼
영원한 안녕을 고해야 하리

시들어버린 장미

손 닿으면
바스락 소리 내며
한 줌의 재가 될
모습이다

그 잘난 붉은색
품던 장미 사라지고
고개 떨군 회색빛
꽃송이만 눈에 뵌다

오래도록 그대는

끓인 물을 까먹고 다른 곳에 정신 팔린 것처럼
그대와 나 사이가 딱 그렇다

두 눈에 그대를 쏙 넣기 바빴던 시절은
온데간데없고

생사 확인 같은 별다른 바 없는
무의미한 문자만을 주고받으며

힘들 때면 어김없이
만사를 제쳐 두고 달려오던 그대는
이제 내 곁에 없는 것 같다

쓰린 마음, 아린 마음 모두 모아
그대에게 그만하자 말을 하니

오래도록
그대는 말없이 나를 바라본다

안 풀리는 날

새하얀 옷에
김칫국물 흘리고

헐레벌떡 뛰었건만
코앞에서 버스 놓쳐

하다못해 맑던 하늘,
느닷없는 여우비로
홀딱 젖어버려

애써 손질한 머리카락
볼품없이 변해버려

화낼 힘조차 빗줄기에 흘러나가
축 처진 어깨로 마주한 유리창에
참았던 눈물 왈칵 쏟아진다

손들고

초등학교에서
배우기로는

횡단보도 건널 때는
한 손을 들고
건너라고 했다

당당히 손을 들고
건너기 몇 번

어른들은 안 들고
꼬마들도 안 든다

눈치를 살피다
결국, 나도 들지 않기로 했다

민들레꽃

발길 닿지 않는
인도 가장자리에
작은 몸 활짝 피어
올려다보이는 노란 꽃

햇빛 줄기 잡으려
안간힘 피웠는지
오른쪽으로 한참
기울어진 초록 꽃대

짧게 살다 갈 인생인데
그 한 줄기 빛 가락 잡으려
포기하지 않고
온 힘 다해 뻗친 모습

행운과 행복

먼 곳에서 날아온 네잎클로버,
놓치지 않으려 두 손 꼭 잡으니
말라비틀어져 바스러지고 말았다

다시는 그런 실수 하지 말자고 다짐하며
하염없이 하늘을 바라보던 날들이 지나

내가 밟은 그 자리에
세잎클로버가 있는 것을 알게 되었다

잠시 스치는 행운을 잡으려
오늘의 행복을 밟고 서 있던 날을 새며
다시금 지난날의 후회가 떠올랐다

아이가 되고 싶은 밤

도자기 깨지듯
깨져버린 마음으로

눈물이 앞을 가리며
지친 몸 이끌고
침대에 몸져눕는다

부모님도 이랬을까
이리 힘든 회사 생활

어떻게 그 세월을
버티셨을까

속상한 마음에
눈물이 터져 나와
저도 모르게
부모님 품에 안겨
엉엉 울고 싶은 날

기댈 곳 없어
베갯잇 적시며
눈물로 지새우는 밤

잎사귀와 비밀

더 늦어지기 전에 서둘러 나설 채비를 했다

여유를 찾아 떠난
제주도 일정이지만

발끝에 대롱대롱 달고 온
서울에서의 걱정거리는
끝끝내 뿌리치지 못했다

버스 정거장으로 가는 길목에
바다 냄새가 진하게 풍겨오고
담장 너머로 곧게 뻗은 나무 지나치다
스치듯 잎사귀에 귀 기울여 보았다

산들거리는 바람 따라 보드랍게 움직이는 잎사귀,
주인장 몰래 나와 잎사귀 사이에 비밀이 생긴 것 같다

추억

추억이란 단어만큼
가슴을 오래도록
아리게 하는 단어가
또 있을까요

다신 함께하지
못한다는 것

그 사실 하나만으로
가슴이 미어집니다

이슬비

어슴푸레 동이 트는
괴괴한 새벽녘

켜켜이 쌓인
무수한 먼지

빗질하듯
더러워진 모든 것
쓸어버리는 이슬방울

누가 먼저랄 것 없이
앞다퉈 내려가며

쾨쾨한 매연 마신
나무 목 축여주고
마른 잎 적셔주며

보이지 않는 생명 살려
거친 흙 속으로 사라진다

시선

복잡한 세상 속에
눈 담을 곳 없던 내게
닿을 곳이 되어준 너

불안하게 흔들리던
나를 안정된 두 눈으로
따뜻하게 마주하며

비로소
너에게 안식을 찾게 됐다

지나가는 우연이 아닌
머무는 인연으로
너와 나는 하나가 된다

나는 네 시선 속에서
가장 아름답다

침대와 거울

누군가가 그랬다
침대 방향에 거울을 두지 말라고

무엇이 문제라고
무엇이 좋지 않다고
얘기했었나

제대로 기억나지 않는다

자기 전에 거울을 보고
자고 나서 거울을 본다

짝짝이 눈이 잘 있나
볼에 난 여드름은 들어갔나
혈색은 멀쩡한가 등

하루하루
거울 보며 나를 확인한다

나의 살아있음을 확인한다

벚꽃 비

참새 두 마리가 내려앉은
하얀 벚꽃 나무

움직이는 참새 따라
가지가 흔들리며

하얀 꽃잎들이 바람에
나불나불 흩날리며
벚꽃 비 만들었다

지나가는 이로 하여금
어깨에 내려앉은 꽃잎으로
봄이 온 것을 알게 한다

비둘기를 바라보는 고양이

끝없이 높은 하늘
원 없이 날아오를 수 있는
자유로운 날개

빛바래 회색 띠지만
은은히 비치는 오색빛깔

거할 곳 걱정 없고
혼자일 리 만무하는
비둘기 저 한 마리가
그저 부럽기만 하다

아프리카의 밤

밤하늘에 수놓인 별 같다는 말,
진부하다고만 생각했겠지

그 진실을 마주하게 된 나의 심정이
딱 저 표현을 빼다 박았지

더할 나위 없는 황홀한 풍경에
모두가 넋을 잃어 고개 떨굴 수가 없던 밤

오래도록 두 눈에 그 깊은 하늘 담고 싶던
그 날의 밤하늘

어떤 말로 표현할 수 없던,
밤하늘에 별빛 수놓인 아프리카의 밤

초여름

상쾌한 초여름 저녁이었다

가는 햇살이 구름 사이로 뻗어 나와
어린잎들 따사롭게 비추었고
나부끼는 잎들 아래

엷게 깔린 어두운 그림자는
햇볕 피해 꼬리 빼며 도망간다

침묵

그대와 마주 앉은
우리 처음 만난 북촌 카페

그대와 나의 시간이 흘렀듯이
이 카페의 시간 또한 많이 흘렀나 봅니다

구름같이 하얗던 칠이 벗겨져
군데군데 틈이 보이고
반짝이던 샹들리에는 색이 바랬습니다

오늘은 유독 그대를 마주하는 게 힘이 듭니다

참새같이 재잘대던 그대 목소리를 대신하는
그대의 침묵이 내 마음에 울려 퍼집니다

보름달

전봇대 등 달빛 삼아
걸어가던 깊은 밤

큰길 옆 고개 들어
마주한 목련 나무

희미한 불빛 받아
황금색 띠는 목련꽃이
바람에 이끌려 이리저리
흔들리며 인사하고

길게 뻗은 가지 사이
걸려버린 보름달

둥근 달도 봄이 좋아
남몰래 봄 즐기는 모습

소나기

아침부터 날씨가 어두침침하다
안개가 낀 것인지 먹구름이 흙길까지 내려앉은 것인지
우중충한 날은 도저히 풀릴 기미가 없어 뵌다

동이 트기 전 이별을 당해 입안 가득 슬픔이 메여왔고

신호등 앞에 우두커니 서서 멍하니 하늘보다
뚝 떨어져 버린 물방울 한 개
한 박자 쉬고 후두두 떨어지는 빗방울

후덥지근했던 여름 더위가 한풀 꺾일 듯
쉼 없이 내리는 비를 맞으며
나의 마음 또한 비우려 애써보았다

바보처럼 한참을 서서 비 맞고 있었지만
아무래도 나는 쉬이 너를 비우지 못할 것 같다

홀씨

꽃이 피는
포근한 봄날

정처 없이 흘러가는
시간처럼

정처 없이 지나가는
바람처럼

정처 없이 흩어지는
민들레 홀씨

그저 시간과 바람에
몸을 맡긴 채

정처 없이 배회하며
앉을 곳을 찾아간다

그냥

할 말이 많지만
할 말을 찾지 못할 때

할 말이 없지만
할 말을 찾을 수 없을 때

그럴 때에 그냥, 그냥

하염없이 그냥만 찾아 헤맨다

벚나무 옆 단풍나무

드나드는 교회 어귀
담장 넘어 뻗어 나온 나뭇가지

붉게 물든 단풍잎을
자랑하듯 고운 색깔 내비친다

그런데 단풍나무야,
너 그거 아니?

가을은 가고,
곧 봄이 올 차례야

네 옆을 지키는
벚나무는 분홍 꽃잎
싹 틔우며 봄 향기 내비친다

그곳

그대와 스쳤던 곳에
돌아왔습니다

좋아하는 그댈 찾아
덩달아 좋아지게 된 이곳

그대를 다시 만날까
나날이 애타는 마음으로
들러 보지만

오늘 이후로
그럴 수 없게 된 이곳

마음 한 곳에
자리 잡은 그대였지만

그대의 곳간은 이미
다른 이로 차버렸군요

텅 비어버린 그곳에
제 마음 묻어두겠습니다

오름

울부짖으며
불러 외쳐 보아도
대답 없는 저 메아리

나는 지금 여기 있는데
너는 그때에 머문 것 같아

아니 어쩌면
너는 이미 떠나고
나만 그때에 멈춰버린 것일까

이미 계절은 수십 번 바뀌어
우리의 흔적은 아득해지고

나만 그리운 걸까
그때의 우리가

쓰러진 나무

예년보다 거센 비바람으로
시골 어귀 오래된 느티나무가
제 오랜 명에 못 살고 그만
쓰러졌습니다

거친 빗줄기에 성한 곳 하나 없이,
바짝 마른 단풍잎처럼 부스러집니다

이름도 없이 길고 오랜 세월
그 골목길 지키던 나무는 사라지고,
뽑혀버린 뿌리가 처량하기 그지없습니다

오뉴월 뙤약볕에 그늘막 되어주고
남녀노소 할 것 없이 버팀목 되어 주던
나무는 이제 없고 공허하게 남은
빈자리만이 애처로워집니다

여름 이불

가늘던
햇살이 굵어지며
짧았던 날, 길어지며

차디찼던 바람 또한
코끝을 간지럽힐 만큼
살가워져

때 이른 여름 이불,
꺼내 덮고 버선발로
여름을 맞이하며
기다렸건만

짧아진 봄날을
아쉬워하며 다가온 꽃샘추위

너무 일찍 여름을
맞이했던 걸까

감기 걸려버리고 말았다

어머니의 품

황량하게 얼어있던
마음이 풀어지고

어지럽던 머릿속도
잔잔한 파도처럼 평안해진다

나의 연약함에 놀라고
그대의 강인함에 놀란다

그대에게 갈 때와
그대에서 돌아올 때

다시금
그대의 깊은 사랑 깨닫게 된다

지나가는 인연 사이

그대를 내 사람이라
생각했던 적이 있습니다

돌이켜보니 그대는
내게 한 번도

내 사랑하는 사람아,
말 한 적이 없더군요
그때 알았어야 했던 걸까요

그대 가고 남은 자리,
쓰라린 상처만 남긴 채
아직 아물지 않은 상처가
매일 밤 욱신거립니다

불 켜진 방

창 넘어 넓게 깔린 어둠을
방까지 들어오게 허락하고 싶지 않아

짙은 어둠을 방으로 들이는 순간
순식간에 나를 앗아갈 것만 같아

어느 깊은 밤,
창밖에 비친 밝은 빛에 이끌려 보니
높게 떠 있어야 할 달이 내 앞에 보여

달이 내게 건넨 말,
어둠이 있어야 빛이 있어
어둠이 지나야 빛이 있어

한여름 밤의 꿈이었을까
분명 달이 내게 말을 걸었다

양양 바다

문어 먹물 풀은 건지 아니면
높게 솟은 조 검은 하늘 먹은 것인지

고요히 첨벙거리는
새벽녘의 양양 앞바다

바다에서 불어오는
스산한 바람 뺨에 스치며
화로 억눌렸던 감정
눈 녹듯 내려앉는다

파도가 바위에 부딪치며
철썩거리며 말을 걸다

고요한 바다를 지켜보며
저 먼 지평선을 바라보며
바닷소리에 귀 기울였다

꽃다발

꽃을 주고 싶었습니다

당신을 향한 수줍게 핀
나의 마음을

작은 꽃 모아
보이고 싶었습니다

그런데 그만 생각했던
꽃이 떨어졌다고 합니다

속상한 마음 삼켜내고
용기 내어 당신에게 건넨
초라한 꽃다발

바뀐 꽃이 무엇인지 모르면서
붉게 물든 튤립 보며
꽃과 같은 미소 내게 보입니다

나의 눈이 향하는 곳

이른 아침에 눈을 뜨고
깊은 밤에 눈을 감는다

지도를 펴 나의 발자취를 좇다
나의 눈의 발자취를 찾았다

나의 눈은 어디로 갈까

어제와 오늘, 내일과 모레,
나의 눈은 어디로 향할까

감사해

빛바랜 말에
먼지를 털 수 있게

내게 와준 그대에게
감사해

능소화

꽃이 필 때도
예쁘다 바라보고

꽃이 질 때도
예쁘다고 바라보며

꽃을 참 좋아했던 그대

선홍빛 꽃망울만 보인 채
고개 떨궈 져버린 그대

앞으로는 그대가
내 가슴 속 꽃이 되어
영원토록 피어주세요

도한욱

솔직한 감정 소중한 마음

_ 시인의 말

세상을 바라보는 따뜻한 마음으로
말과 글의 씨앗을 심으면
세상이 조금 더 따뜻하게 피어날 것이라는
작은 기대를 안고 시를 쓰게 되었습니다

삶이 주는 시간이라는 선물로
하루하루 나로 채워가는 것
그게 우리 인생이 아닐까요?

그대가 어둡고 캄캄한 밤에도
나만의 궤도에서 나만의 색으로
끝까지 빛나면 좋겠습니다

주위의 빛나는 것을 따라가기보다는
스스로 빛나는 여러분들이 되길 소망합니다

시 쓰다

반짝 빛나던
그 찬란한 시간을

내가 온전히 나였던
그 소중한 순간을

하얀 마음에
까만색으로
진하게 남기고 싶었다

누군가의 마음에
잠시 스칠 수 있다면

내가 세상에 존재하는 이유
그 물음에 조금 더
가까워질 수 있을 것 같아서

청춘

막연한 불안함을 넘고
선택의 무게를 견디며
치열한 시간을 살아온 그대

모두가 결과만 보아도
나는 그대가 지새웠던
수많은 밤들을 기억해요

매 순간 진심이었다면
그것만으로도 충분한
도전이었으니까요

나의 봄에 담긴 슬픔

4월의 어느 봄날
마지막 숨을 바람에 보내고
시간과 작별한 사람

따사로운 햇살로
아름다운 꽃으로
마지막 인사를 대신한 사람

세상이 힘들면
언제든지 찾아오라던 사람

꽃향기가 봄의 편지를 전해오면
너무나도 보고 싶어지는 사람

열정

더운 여름이 지나도
그때의 그 마음
식지 않기를 바라요

시간의 외로움을 견디며
달려온 그 뜨거웠던 순간들을
잊지 않기를 바라요

그 치열했던 순간들이
가장 예쁜 색으로
피어날 테니까요

낙엽

모두가
고개를 들어
위를 바라볼 때

나만은 허리 숙여
너를 바라보겠다

바닥에 나뒹굴고
밟혀 으스러져도
온몸으로 가을이었던
너를

겨울 마음

간밤에 다녀간
하얀 발자국의 주인은
아마 당신이었겠지요

당신이 있는
그곳의 계절도 겨울일까요

늘 따뜻한 당신이었기에
겨울이 더 춥지는 않을까
오늘도 밤을 지새웁니다

소년에게

모두가 잠든 밤
유난히 추웠던 그해 겨울로
시간을 돌린다

차가운 도시 속
길을 잃고 헤매는
한 소년이 보인다

다가가 꼭 안아주었다
괜찮다고 정말 괜찮다고

모두가 잠든 밤
겨울에 갇혀있던 한 소년에게
봄을 알려주었다

아마도 우린

짧은 글
작은 공감 하나에도
미소짓는 우리는

사실
차가운 사회를 살아가는
작은 따뜻함이 고팠던
여린 사람들이 아닐까

소소함

길을 걷다 만난
어린아이의 미소가
오늘의 시작을
환하게 만들었어요

어쩌면
사람의 마음을
움직이게 하는 건
사소한 것일지도 몰라요

커피 한 잔

커피 한 잔에는
많은 것들이 담겨있다

바리스타의 마음
아늑한 카페의 향기
잠깐의 여유까지

생각을 멈추고
차분히 세상을 바라보게 하는
커피 한 잔에는
많은 것들이 담겨있다

오후의 분위기

점심시간은 지났지만
나른함은 계속되는 시간

하늘은 눈부시게 파랗고
창문 틈 사이로 얼굴을 내민 햇빛은
미소로 가득하다

금방 내린 커피와
오후 3시가 만들어내는
오묘한 분위기가
제법 맘에 든다

어린이날

두 손 모아
밤하늘 저 달에게
소원을 빌다 잠들었던

막대 사탕 하나로도
온 세상이 행복했던

무엇이든 할 수 있었고
무엇이든 될 수 있었던

그때의 우리가
그리워지는 오늘

안경

가끔은
안경을 벗고
흐릿한 눈으로
세상을 바라보게 돼요

선명함이
때로는 아픔으로
다가오는 날들이 있거든요

신입 어른

그날의 기억은
아직도 선명해요

내 이야기를
아무도 들어주지 않던
그 차갑고 날 선 공기가
많이 아팠거든요

어른의 세상은
생각보다 버겁네요

달콤한 말

달콤한 말들이
쏟아지는 요즘

적당히 씁쓸한 말들도
삼킬 줄 아는 사람이
되면 좋겠습니다

나도 모르게
마음의 충치가
생길지도 모르니까요

부모님

캄캄한 흙 속에서
웅크리고 있던 씨앗이

알맞은 삶의 온도에서
싹을 틔울 수 있었던 까닭은

밤낮으로 화분을 지키던
두 사람의 사랑이 내겐
태양보다 따뜻했기 때문입니다

쉼표

애써
마침표를 찍지 않아도
괜찮아요

마침표 이전에는
쉼표가 있으니까요

아직 당신의 이야기는
끝나지 않았으니까

오늘 밤은 우리
한 문장 쉬어가요

마음 저축 은행

마음을 저축하는
은행이 있다면

차곡차곡 저금해서
그대에게 한 아름
안겨 줄 수 있을텐데

마음을 저축하는
은행이 있다면

우리 같은 마음으로
모아 나갈 수 있을텐데

수학

머리로는
다 알았다고
생각했는데

문제만 보면
왜 이렇게 틀리는지

머리로는
다 알았다고
생각했는데

그대만 보면
왜 이렇게 틀리는지

너는 언제나 너이다

그대는
언제 어디에서든
향기로운 꽃이다

해가 뜨는 순간부터
모두가 잠드는 순간까지

세상에 얼굴을 내밀고 있는
그 모든 시간들이 향기롭다

그대는
언제 어디서든
향기로운 꽃이다

짝사랑

어둠이 깔리고
달빛 조명이 켜지면
나를 떠올려 주세요

밤의 테두리를 걸으며
매일 그대의 밤을 지키는
나를 떠올려 주세요

마음의 노래는
매일 그 깊이를 더해가는데
내 사랑은 점점 초라해지네요

별똥별

내 모든 마음을
내 모든 시간을
그대에게 드릴 수 있다면

타들어 가는 고통에도
금방 사라질 것을 알음에도
그대에게 드릴 수 있다면

그대 소원을
이루어줄 수만 있다면
그거 하나로 충분하니까요

마음의 바다

멀리 던져 버렸다
있는 힘껏 던져 버렸다

분명 멀리 던졌는데
다시 밀려와 있더라

감정의 조류를 타고
내 마음 한구석에
밀려와 있더라

그때의 난 정말
진심이었나보다

여름밤의 기억

파도 소리가 들리고
기억의 물결이 밀려오는
그곳에 너가 있기를

아직 난
심장이 터질 것만 같던
그해 여름에 머물러 있으니

기나긴 그리움의 끝에서
너를 기다릴게

그때처럼

아늑한 커피 향
달콤한 조명 빛

마주 보는 눈
너의 말 나의 말
떠오른 기억
기분 좋은 침묵

오랜만에 만난 너는
그때처럼
더할 나위 없었다

이 밤 너와 나

우주를 떠돌다
지구라는 행성에서
생명을 얻고

나라는 존재로
시간을 여행할 수 있음에
감사한 밤

나도
나만큼 소중한 너도

부디
오늘 밤은 편안하길
좋은 꿈만 가득하길

밤의 끝에서

구름을 움켜쥐고
어둠을 버텨냈다

무거운 시간들을 견디고
수많은 밤들을 넘기며
조금씩 깨달아 나갔다

지나온 모든 순간이
우리가 맞았다는
증거였음을

먹구름

흐린 날씨가 주는
묘한 분위기에 이끌려

하루종일
창밖을 바라보았다

서럽게 우는
구름의 마음을
왠지 알 것 같아서

살아간다는 것

우린 어디에서 와서
어디로 가고 있는 걸까

움켜쥐고 있는
이 모든 것들의
의미는 무엇일까

어쩌면 우린
살아가는 것이 아니라
시간과 함께
사라지고 있는 것이 아닐까

새벽

어두운 공기가 가라앉고
달빛도 고요한 시간

새벽이 가져다준
적막을 두르고
창문 틈으로 내민
달의 손을 잡아

아무도 모르는
나의 마음속
그 깊은 곳으로
여행을 떠난다

밤이 좋은 이유

저는 밤이 좋습니다

거리의 소음이 잦아들고
별들의 숨소리만 들리는 시간

나와 달만 남은 것 같은 이 시간이
온전히 내가 되는 시간 같아요

어른

어른이라는 말이
무겁게 느껴지는

그 순간이 바로
진짜 어른이 되는
순간이 아닐까

눈물의 깊이

어른의 사회는
차갑고 냉정한 줄만 알았다

피도 눈물도 없는
그런 사람이 어른인 줄만 알았다

어른이 되어보니
눈물샘이 깊어진 것일 뿐

사실 그들도
늘 가득 차 있었다

꿈

알고 있었지만
모른체했던

주변의 시선에
늘 숨겨왔던

너무 힘들겠지만
너무 아프겠지만
진짜 나의 모습을
마주하려 한다

너무 꽉 움켜쥐고 있어서
나조차 보지 못했던
나의 진짜 꿈을

꿈나라

하루의 끝에서
눈을 감으면
시작되는 여행

울적한 날씨와
지친 하루의 난기류는
내가 막아줄 테니

너의 꿈
그 넓은 무대에서
마음껏 춤추길

너의 꿈
그 넓은 하늘에서
마음껏 날아오르길

오르막길

각자 다른 곳에서 시작하지만
우리 결국 만날 테니
서로 미워하지 말자

정상에 오르면
걸어온 길에 만났던
풍경을 나누자

기분 좋은 바람이 불면
나란히 앉아 우리
같은 곳을 바라보자

모순

보이지 않는 것들을
보려고 노력할 때

바랄 수 없는 것들을
바라기 시작할 때

만질 수 없는 감정들이
소중하게 느껴질 때

삶을 조금씩
알아가기 시작했다

비로소
당신의 주름진 시간들이
보이기 시작했다

진심

삶의 끝에서
우리 만나는 날
그대 허락한다면

어리석은 젊음에
아껴주지 못했던 마음을

시간이 멎어
맞추지 못했던 눈을

바람이 데려가
잡지 못했던 손을

못내 건네지 못했던
그 꽃다발을
안겨주고 싶습니다

기다림

차분한 마음으로
기다릴 줄 아는
사람이 되자

다른 이의 봄에
따스함을 느낄 줄 알며
다른 이의 꽃에
박수를 보낼 줄 아는
사람이 되자

모두의 계절에
봄이 온다는 사실은
변함이 없으니

우리
그 길었던 겨울이 끝나면
찬란히 꽃피우자

궤도

나만의 궤도에서
나만의 걸음으로
그대 끝까지 걸어가길

무너지지 말고
포기하지 말고
그대 끝까지 나아가길

이 우주에서
가장 소중한 별은
나라는 것을 잊지 않고
그대 끝까지 살아가길

문성현

새벽이 나를 한번 씻어가기를

_ 시인의 말

플라타너스 아래에서 배웅한 애인과
사그라지는 삶의 원동력과
내 언어의 근원

이런 이미지가 자욱한 방 한편에
흉내 내지도 독창적이지도 못했던
나의 젊음이 울고 있다

나의 문장은 단 하나의 사랑도 구하지 못했다

그 여름, 가장 조용한 바다

파도가 저들끼리 몸을 부딪치며 파열음을 낼 때, 모래펄에 가만히 앉아 음률의 한가운데에 떠 있는 사람을 보았다. 우아하게 헤엄치던 사람. 태양 빛이 오선으로 나눠놓은 물 위에서 떠다니던 음표의 몸짓이 귓가에 재즈를 들려줬다. 나는 모래 묻은 손으로 그 깡마른 8분음표를 껴안고 싶었다. 넘실, 넘실. 오선을 넘어 수평선으로 수영하던 사람. 그 사람이 멀어질 때마다 파도가 나를 부쉈다. 잘게 깨진 마음은 모래알처럼 반짝였다. 나는 가만히 놓여 바다가, 나를 너에게로 앗아가기를 기다렸다. 긴 여름의 끝에서, 뉴올리언스풍의 재즈 노래를 들으며.

머메이드 블루

파도의 찌꺼기를 털고
뭍에 올라온 마음에게

오랫동안 미워한 이를
그리워하라는 것은
석양을 구름으로 가려보려는 일

목적지가 사랑인 여행은
고래도 지쳐 고개를 떨구는 일

다리도 목소리도 잃고
저 은하수에서 나는
까만 올리브 냄새를 맡는 일

재즈가 연주될 때마다
마음은 수십 번도 더 바다에
뛰어들고 싶었다

깊고 차가운 윤곽선을 피하는 일

키리바시 행진곡

나는 키리바시로 갈 거야
새것을 찾은 네가
아무렇게 내려둔 이 사랑을 들고
남태평양의 키리바시로 갈 거야

언젠가 지구본에 손가락을 얹고
부드럽게 문지르며 함께를 약속했던 곳
나는 이 사랑을 들고 키리바시로 갈 거야

나와 이 사랑을 실은 배가 키리바시를 향하면
나는 너의 새것을 끔찍이도 미워할 거야
날카로운 말로 적도를 찢고 날짜변경선을 헤치며
나는 남태평양의 키리바시로 갈 거야

속상해
이토록 힘차게 경멸하는데도
네 새것은 왜 부수어지지 않는 거야?
나는 너무 속상해서 견딜 수가 없어
키리바시로 갈 거야

나는 키리바시로 갈 거야

키리바시에 가면
내 사랑을 모래언덕에 묻을 거야
거기에 야자수가 나면
그때 나는 돌아올 거야

폴리네시아

너는 남국의 푸른 별
하얀 모래톱
눈부신 바다

나는 좋겠네

날짜변경선이 태양을 몰고 올 때까지
하룻낮 하룻밤을 꼬박
네 무릎에 누워있으면

하지만 나는 너무 짙은 바다라
담청색 음흉함으로는
너의 연안에 갈 수 없지

그럼 그것만이라도
나는 좋겠네

다만 너의 눈에 멀리서
고래가 헤엄치는 노스탤지어로
보이기만 했으면.

그윽하다

그윽하다는 것은
마뜩잖은 이에게서 받는 추파 같은 것
생각나면 넌더리 나는
그, 윽!
그러나 찰나의 공기엔 달콤함이 있어
이따금 은 몇 모금 핥아보는 것
미묘한 눈동자에 찰박이는 술을 붓고
그 너머로 노을을, 아주 새빨간 노을을 보는 것
그윽하다는 것은 못 먹는 자두 같은 것
떫지만 기어코 깨물게 되는 것
오래오래 씹으면서
딱
그만큼만 후회하는
그, 으으윽!
비명 하게 되는 것.

California dreaming

If I was in LA, [1)]
엘피판의 바늘이 멈추기 전에
나를 꿈속으로 데려가 줘요
애인이 사랑하던 곳
남가주로, 남가주로
나성으로!

포드 타고 위스키를 마시며
사막으로 떠난 애인
작열하는 태양 빛이 만든
무수한 애인의 신기루
당신은 모하비의 적토 위에 뜬 무지갠가요!
잡을 수도 껴안을 수도 없는 애인

바늘이 엘피의 홈을 누르듯
마음은 나를 찌르고 가고
If I was in LA,
내가 저 붉은색 흙을
한 움큼 집어먹을 수 있었다면
당장 애인에게 사랑한다고 했을 거에요
남가주의 태양처럼 온종일 꿈에 떠 있는 애인

꿈이 끝나가고 나는 여전히 애인을 잡지 못하고
시간이 갈수록 애인은 포드 타고 위스키를 마시며
한 움큼씩 더 멀어지는데

California dreaming
음악을 멈추지 마요
나를 엘피의 홈에 올려 달리게 해줘요!
소리치며 눈을 뜨는 나
무지개 같은 너!

'California dreamin''의 노랫말을 인용함

한강블루지

1.
양화대교 너머로 보이는 국회의사당의 야경을 지나며 생각나는 사람이 있었다. 오늘 하루의 일은 아니었다. 혜성의 꼬리같이 긴 여운이었다. 그 사람을 쓴 종이에는 별들처럼 물 자국이 남았다. 어느 날은 그런 종이를 모아 한강으로 던져버렸다. 그 날은 은하수가 당산철교까지 이어졌다.

2.
땅은 입을 벌리고 낙엽을 먹는다. 여름 해가 고개를 젖히고 차츰 스산해지는 시간, 간간이 철모르던 장미가 저 혼자 힘겹게 꽃잎들을 떨치던 때였다. *한강 하구 그 길은 구백팔 번 버스가 두어 번 덜컹대며 지나는 길이었고, 이따금 은 우리도 차를 세우고 몇 번은 덜컹대던 길이었어. 아니, 그런데 어쩌면 그런 적은 없었는지도 몰라.*
땅은 입을 벌리고 하품을 한다. 그런 건 따분해. 더는 들어주지 못하겠는걸. 나는 낙엽을 걷어찼고 땅은 대신 나를 잡아먹기 시작한다. 땅이 다리를 절반쯤 삼키고서야 나는 그 자리에 굳었다는 걸 느낀다. 땅이 나를 통째로 삼키고 있었다. 이윽고 흙에 눈을 비비며 나는 같이 먹힌 낙엽들을 손으로 쓸어본다. 장미의 마지막 꽃잎이 그 위에 떨어진다. 눈 깜짝할 새 만들어진 관도 비도 없는 내 묻힌 터에, 구백팔 번이 지나간다.

3.

모든 이야기를 듣고는 A양은 말없이 캔맥주를 따준다. 반포대교에선 이제 막 무지개 분수가 물을 내뿜는다. 수취인 불명의 편지처럼 손끝이 허공을 방황한다. 안주를 찾던 A양이 웃으며, 손의 주소를 명확하게 정해준다. 쏴아! 축포처럼 무지개 분수가 절정을 발산한다. 야경에 비치는 네온들이 은하수처럼 강물에 퍼진다. 맞잡은 손 위로 장미 향이 앉는다.

망원동

전화기도 없던 나의 애인이
곱창집 오는 길을 잃어버리는 동안
나는 짜게 식은 선짓국 국물만
연신 들었다 내려놓았다
펌프질을 멈춘 핏덩이가
물웅덩이에 허우적거리고 있었다

그놈처럼 마음이 죽어가고 있었다

밖에선 가죽 잠바에 묻은 눈을 터는 소리와
시끄러운 통화 소리
자동차의 크락션 소리가 들렸다
나한테는 그사이를 비집는 발소리가
전부 구세군의 종소리로 들렸다
구원으로 왔다가, 오다가,
흩어져 사라지는 의미 없는 것들

이제 선지 덩어리에선
피 맛도 나지 않았다
전화기도 없던 나의 애인

너는 여기 오는 길을 알고 있었지?

아마 오랫동안 그 말
묻지 못하겠지만

Love letter

세계는 하얗다. 색이 없는 형체들
속에 좋아하던 나무가 있다. 자주 보던
꽃들도 섞여 있다. 나는 그것들의
원래 색을 기억하지 못한다
색이 없어서, 마치 흐물거리는 것 같은
그것들을 오로지 형과 향으로만 알아볼 뿐
세계는 하얗다. 나는 비틀댄다
하얀 세상이 좌로 우로 기우뚱한다.
끝으로 쏠리기를 반복하는 구조물들,
나는 그것들의 원래 색을 기억하지 못한다.
원래 색이라고?
우리한테 그런 건 없어.
빛이 멋대로 반사한 파장이고
네가 멋대로 마음에 담은 떨림이지. 세계가
퉁명스러운 비명을 지른다.
네가 멋대로 마음에 담은 떨림이지!
그래 내가 멋대로 마음에 담은 사람이지.
세계는 하얗다
세계는 하얗고 색이 없는 형체들이 경계를 잃는다
아득한 풍경 속 한때는 색이 있던 사람들이 보인다.
그 사람

에게 반사되어 망막에 맺히던 파장들이,
사라진 세계가 하얗다. 잘 지내시나요
목청을 열어보지만 소리는
밖으로 나오지 않는다. 소리도 파장일 뿐
내뱉는 탄식도 뻗어보는 손도 그이까지의
거리도 모두 하얗다
세계는 하얗다
아니, 실은 모두 까만가.

Apricot

가령
잘 익은 시집의 시구 한 알을 따다 베어 물면
잇몸 사이로 흐르는 과즙은 눈물일까
콧등 밑에 묻은 과육은 미련일까
시큼한 고민을 하다
또 하나의 무른 시구를 바닥에 던진다
어느 날 어느 때에 따 놓은 건
탁자에 오래도록 내버려 두었는데
그럼 그때 거기서 썩은 시구는 나의 얘기일까
사랑일까, 잇따른 질문을 하면서.

불면

밤으로 가는 길이 멀어
낮에 헤매고 있나 보다

눈을 감으면 당신,
긴 잠을 자려 하면 당신의 모습이 영사되고
당신과의 시간을 지도처럼 펼쳐놓으면
밤으로 가는 길은 찾지도 못한다, 오지도 않는다
밖은 아직도 긴 낮

별수 없이 일어나 앉는다
아무것도 하지 않고
낮이 나를 지나가기를 기다린다

밤에는 잊을 수 있으려고?
빈방에 당신 목소리로 들리는 질문
먼지처럼 사라지는 답

그에게로 가장 가까웠던 밤과
그에게서 가장 멀었던 낮은 모두 같았다
잠에 들 수 없었다.

아크로폴리스

앙상한 고목들이
달을 신처럼 모신다

누구와 헤어진 소년이
스산하게 웅성대는 사제들
사이를 걸어와
눈물을 십일조로 내면

차가운 신전에
하얀 신탁이 내린다

애인을 두고 온 풍경에
소년은 신의 말씀들을 모아
밤새 설국을 만든다

잊으라 추억하라
찬탄하라 비난하라
경외하며 증오하라
경전처럼 맴도는 선악의 속삭임들

이윽고 신이 또한번 죽고

사제들은 불을 쬐고
눈앞에 쌓였던 신탁들이
기억에서 녹아 잊히는 동안

소년은 비로소
어둠에서 깨고

웅성대는 사제들 사이로
뒤돌아
너펄너펄 걸어간다.

순장의 봄

피지 말아야 할 목련이 핀다
사람들은 손을 잡고 입을 맞추며
소리 없이 죽어갈 꽃들의 장례를 즐긴다
봄과 사랑 사이 빼곡한 틈마다
피어나는 백목련, 백목련, 자목련들
연인들이 지나간 자리로 꽃잎들이 날린다
꽃잎들은 떨어지며 제 몸에 이름들을 쓴다
꽃잎들은 밟히며 이름들을 묻는다

봄에는 이름들이 가장 아픈 것이다
아무도 모르는 곳에서
기억과 순장시키고 싶은 것
목련은 죽을 것이면서도 기어이 피어
그 이름들을 다 적어보았다가
철마다 다시 다 묻게 하였다
그리고 끝내 새 이름을 뒤적이게 하는 것

올해도 목련이 가득 피고 지었다
사람들이 서로의 어깨에 기대어 조문을 마치고
여름으로 가는 버스를 기다린다
떨어진 꽃잎들의 이름을 밟으며

첫사랑

압정이 든 우유 잔
벌컥벌컥 들이켜다
끝내 상처 난 목구멍

우유가 하얘서 안보인걸요
갈라진 목소리로

소년은 당당히 슬펐지.

6월

더운 공기 위에 그보다 더운 입김으로
입 끝을 오므렸다 피면서
유행하는 사랑 노래를 중얼대는 게
작은 애정표현이라면

오늘 오후 혼자 불러보는 너의 이름은
온통 사랑이구나

노을에 수평을 맞추어
붉은 입술을 그려보다가
작은 설렘에 꼬리를 올린다
돌아서면 보고 싶은
그 사람 노을에도
내가 그린 미소가 보일까

7월

어느 날은 정성껏 짠 물걸레로 오후부터 거실을 닦고
커피도 없이 베란다 앞에 앉아 햇빛을 맞는다

그런 날은 꼭 그 애 생각이 난다
여름이 묻어있던 손가락의
간지럼이 생각난다
개망초를 가리키던 손가락
저 애 옆에 있는 식물은 다 죽는대
웅얼거리던 입술

개망초는 아직 그 공원에 남아있을까?
우리는, 어쩌면 죽어버린 건 우리일지 몰라
칠월에 솜이불을 덮고 잠든 탓에
그 애는 나의 한여름 솜이불이었을까?

반쯤 어긋나게 접은 회상 위로 매미가 앉아 운다
같이 더운 꿈을 꾼 사람
개망초를 알려주던 아이

청춘

책상 앞에 앉아 청춘을 잘근잘근 씹어먹었다
파란 봄은 식감이 좋았다
영문도 모른 채 잡아먹힌
내 생의 첫 계절
파랗게 질린 봄

창틀에 반쯤 걸터앉은
시간에 대고 토악질을 하면
청춘이 되 뱉어질까 궁금했다
한 번 더 봄을 잡을 수 있다면
파랗게 질린 생의 혈색도
돌아올 텐데

멋모르고 삼켜댔던 파란 봄이 좋았다
소화되지 않는 여생이 힘겨웠다

자화상

덜 자란 키로
이리저리 채이며 지내던 유년 시절은
생이 어디서부터 잘못되었는지
끊임없이 되묻는 과정의 연속이었다
정작 그 물음이 잘못된 건 모르고

생이 죽음의 심지를 빙빙 돌며
맹렬한 속도로 타들어 간다고
산다는 건, 사실은 죽어가는 거라던
어느 철학자의 말을 신념 삼아
어설픈 탕아를 흉내 낸 적도 있었다

지금은, 지금은 무엇이 달라졌나
남루하고 치기 어린 사색들을
어디만큼 냉소하게 되었고
또 얼만큼은
당신들에게 무의식을 전시할 수 있을 만큼
세련되었는지

슬픔과 설움이 전시된 미술관
큐레이터는 퍽 고된 삶이다

회귀

하늘 밑에 정갈하게 늘어선
미루나무 꼭대기들을 보면
반듯한 마음이 든다
올라가서 그 푸른 것들 속에
함께 박제되고 싶다

때때로 아무리 씻어도
허물이 벗겨지지 않는 기분이 든다
아직 당신을 미워하기 때문일까
웃긴 이야기다, 이제는 얼굴도 기억나지 않는 사람
메트로놈처럼 주기적으로 미워할 수 있다니
나는 한 뼘 더 자라도
미루나무처럼 높고 곧지는 못하나 보다

아니면
애초에 자라지도 않았는데
모든 용서는 성장이 될 수 있다고
잘못 믿은 걸지도 모르겠다
이제 저만큼은 컸겠지, 하고
아직도 미루나무
고개를 젖히고 보는 걸 보면.

게슈탈트

나쁜 것을
나쁜 마음을
나쁜 말로 말하기 싫어서
나는 그것들을 다르게 불러요

집에 돌아오는 길은 끔찍이도 복숭아하고
당신에게 속상한 마음도 몹시 설렘이라
슬픈 고래만 이리저리 몸을 찧어요
라고

멸망
젊음으로 치환
멸망.

삼십 살 [1)]

이런 고백을 좋아하지는 않지만

천원에 네 곡을 주는 동전 노래방에서
김광석의 서른 즈음에를 불렀지
팔십 팔 점이 나왔지
십 이점이 부족한 내 서른 즈음에
오래된 연인은 없었지
광석이 형이 불러주듯
내가 떠나보낸 것도 아닌데,
내가 떠나온 것도 아닌데

젊음은 오후 내내 골목에서 맴돌다
낯선 길로 도망치고
뒤늦게 고개를 돌리면
그림자의 말미만 희끗하지
그렇게 또 하루의 청춘이
손끝에서 빠져나가는 거야
광석이 형이 불러주듯
매일 이별하며 살고 있구나

시간이 나를 잡아먹을 듯 입맛을 다시는데
내 젊음은 시간을 좇아가지도 못하는데
내 서른은 십 이점이나 부족한데

흐르는 시간이 무서운 내 가슴 속엔
광석이 형이 불러주듯
더는 아무것도 찾을 수 없네

계절은 다시 돌아오지만
불안도 매일 다시 돌아오지만
백 점까지 아득히 먼 내 서른은
오늘도 동전 노래방에서 마이크나 쥐고 있지
김광석의 노래를 부르며
팔십 팔 점 짜리 고함을 지르며

나는 정말
이런 고백을 좋아하지는 않지만.

1) '서른 즈음에'의 노랫말을 인용함

정선, 버스 안에서

집으로 돌아오는 길에 꿈을 꾸었다
동강의 물방울 하나가 하늘 위에 떠 있는 꿈이었다
손을 뻗어 잡으려다 이번엔 그러지 않기로 했다

이번엔?

그제야 뒤로 보이는 선연한 풍경
굽은 강가에는
내가 잡아 죽인 물방울들이
시체처럼 넘실댔다
홀로 떠 있는 물방울은 위태했다

사실 내가 보고 있던 물방울은
이미 다른 물방울
방금 보았던 물방울은
벌써 강가로 추락했는지 모른다

튀고 지는 물방울들을 계속 잡으려는 꿈
내가 손 뻗지 않아도
물방울은 계속 죽을 것이다

어쩌면 꿈이 아닐지도 모른다.

이완

앞으로도 자주 눈이 뻑뻑할 땐
먼 곳을 보세요
의사는 제법 엄숙한 목소리로 진단했다.
멍하니 침대에 누워 바라보던
바깥의 희끄무레한 푸른 빛
그게 맞은편 창문의 불빛인지
마음에서 일렁였던 도깨비불인지 알지는 못했지만,
너무 멀지 않으면서
사실은 가까운 적도 없던 푸른 빛

먼 곳을 보세요
나는 제법 처방을 잘 따랐다
눈이 아플 때마다
그것이 멀리 있기를 바라면서 그러나,
사실 가까운 적도 없던 그 불빛은
자꾸만 가까이 보여서
내 눈은 자꾸 뻑뻑해졌고
나는 숱하게도 안약을 넣어야 했다.
눈물이 안약 때문인지
그 불빛 때문인지 알지는 못했지만.

장미 맨션

누가 나의 싱그러움을 훔쳐갔을까?
누가 싱그러운 나를 채어갔을까?
연립 화단의 시멘트 틈새에 기대어
고개를 뒤튼 장미는 마른 잎을 떨었다. 치를 떨 듯이
의뭉한 가시는 더욱 날을 세우고
무언가 빼앗긴 장미들의 아우성 사이로
핏빛을 반사하는 태양, 절절한 오후.

사냥

생이 스스로 무너지는 것을 응시할 때
식탁 위 콩나물 무침은 서걱하다
시큼한 입술 냄새가 난다

빈 부엌에서 홀로 사람들 이름을 생각할 때
검붉은 콩자반이 입안을 맴돈다
어금니 부딪히는 소리만 남는다

이 미련한 짓을 언제까지 반복해야 하나
두 평짜리 툰드라에 혼자 있는 북극곰

한 끼의 식사는 한 번의 우울
죽음까지 남은 끼니는?

직선

누군가의 생을
굴곡 없는 직선이라고
제멋대로 긋지 말자
작은 떨림에도
숨결은 얇게 움직이는 것
멀리서는 날렵해 보이는 선이
사실은 제법 오래전부터 틀어져 있었음을

나는 지우개를 들고도 가만히 있었다
또 다른 누군가 다가와
커다란 빗금으로
나를 빨갛게 조각내기 전까지

부서진 지금은
이따금 절단면이 아리다
붙일 수 없는 기억의 분단들

눈사람

눈사람을 만든 사람이 있다면
구태여 머리 덩어리를 밀어 부수는 사람도 있고
다시 눈사람을 살려줄 생각 없이
스쳐 지나가는 사람들도 있지
사실은 다들 눈사람을 좋아하면서
그것참 이상한 일이지?
잠깐의 멈춤만 필요할 뿐인데
손 사이로 스미는 차가움만 견디면 되는 건데
우리는 입버릇처럼 겨울과 눈과 눈사람을
사랑한다고 말하면서
거리의 모든 눈사람들을 스쳐 지나갈 뿐이야
어쩌면 가끔은 직접 부쉈는지도 모르지
그렇다면 직접 부순 건 우리의 잘못일까?
아니면 이 거리가 잘못한 걸까
우리는 모두를 사랑하지만
이 거리는 그저 스쳐 지나가게 해
이 시대는 사랑을 스치게만 해
애꿎은 눈사람만 토막 나 녹아갈 뿐이야.

박하사탕

경춘선 완행이
나를 태우지 않고 춘천으로 갔을 때
나는 협궤열차의 화물칸에 구겨져서라도
돌아가고 싶었다, 떠나왔던 곳으로

어쩌면 고향이었던 곳
더는 기억나지 않는
동네의 풍경을 복원하는 일은
젊음이 짊어진 부채 같아서
나도 소년 시절도 어디로 도망가지 못하고
이곳에 묶였지만

코스모스처럼
가을마다 도망치고 싶어서
우리는 시간표도 모르는 역사에 나가
차표도 없이 경춘선 완행을 기다리고 있었다

어느 가을
경춘선 완행은
나도 소년 시절도 태워주지 않는다는 걸 알았던 날
젊음이 그대로 철길 위에 투신했고

나는 돌아가고 싶었다, 떠나길 마음먹었던 때로

고향이 그대로 있기는 한 걸까?
어쩌면,
어쩌면

그날은

열차를 기다리던 날들보다
죽은 젊음의 껍데기를 챙겨
다시 역전으로 나가던 시간이
더 길었다.

북해도

내가 생의 마지막을 맞을 때
가장 먼저 기억나는 장면이 슬픈 것이라면
나는 소리도 못 내고 울 것 같았다.
행복했던 기억, 웃었던 기억
내가 나에게 드물게 살가웠던 기억
이런 것들보다
어떤 강렬한 슬픔이
세계를 떠나보내기 전의 마지막 인사가 될까 봐
슬픔이 악당처럼 나를 해칠까 봐

그래서 자연스레 만들어질 기쁨을
기다리지 못하던 때가 있었다.
조급함이 자꾸만 슬픔을 만드는걸
모르던 날의 어설픈 사색들

이제 한곳에 모아
여기 내리는 눈으로 덮고
구두로 발자국만 찍어놓는다.

환절

봄과 겨울 사이
녹지 못하고 말라버린 눈 뭉치에선
밟을 때마다 비명이 났다
진흙처럼 문드러지지도 않고
그렇다고 얼어붙지도 못하고
계절이 버리고 간 듯이
눈 덩어리는
산촌 측백나무숲 아래에서
산꾼들이 밟는 대로 으깨진다
뻐덕뻐덕
고까운 소리로
불러보는 저항 노래는
총성처럼 퍼지는
도요새 울음소리에 묻히고
아무도 구명하지 않는 아우성들 사이로
목련이 순을 낸다.

고해성사

누구나 마음속에 신부의 마음이 있어 나도 그 마음 외면하지 못하고 내 안에 커다란 보육원을 지었네. 누구라도 제 새끼임을 부끄러워하는 아픔들, 부정당하는 슬픔 들과 허락받지 못한 감정의 고아들을 끌어모아 보육원에 넣었네. 해가 차고 달이 기울고 신부의 마음이 죽고 나서야 그것들을 영원히 거둘 수 없다는 걸 알았지. 건물이 허물어지고 길잃은 감정들은 스스로 더러워지네. 고철의 녹슨 부분처럼 창틀에 낀 묵은 때처럼 못난 것들이 구석진 곳으로 제 몸을 던지지. 감정들의 무수한 몰락이 침전한 내 안의 바닥은 얼마나 축축한가? 디딤돌 없는 늪의 가운데에 성령을 잃은 남자가 서 있다네. 값싼 동정으로 철 지난 감정을 그러모은 작자, 그 작자가 마침내 무너지고 있다네.

금산사에서

지나온 마음도 가을이고
지나갈 마음도 가을이라
단풍들 듯 변하는 마음을
가만히 앉아 지켜보기로 한다

하나의 가을이 펼쳐지면
하나의 가을은 잊힌다
사계절을 모두 품에 담아두려면
한 계절이 두 번 들어올 자리는 없는가 보다
당연한 것이다

법당 앞에서 합장 하고
고개를 숙였다 올리는 동안
단풍이 완전히 들거나
가을이 완전히 사라지기를 소망한다
산사의 새벽이 나를 한번 씻어가기를

새벽이 나를 한번
씻어가기를

미륵전에 드리운 나무 그늘이 짙어진다
그 위로 낙엽이 폭폭 쌓인다

이진수

감정을 느끼는 우린 감정노동자

_ 시인의 말

다양한 감정의 휘둘리고 흔들리는 마음을
붙잡을 수 있게 매일 밤 빌었어요

혼자가 되어버린 것만 같은 외로움 속에서
벗어 날 수 있기를 매일 밤 빌었습니다

빌고 빌어도 바뀌지 않는다는 것을 알면서도
매일 밤 빌고 빌었네요

끝이 없는 해결되지 않는 두려움과 감정도
매번 용기가 없어 도망치기 바빴던 걸음도
마주하니 끝이 보이네요

매일 밤 오늘을 마주하는 우리에게
이 글이 이 시가 우리의 마음에 작은 울림이
전해졌으면 합니다

터널

주황 불빛 가득한 여기
굉음 소리로 가득한 여기
보일 듯 말 듯 도착할 듯 말 듯

눈을 찡긋하며 봐야 보이는
좁쌀만 한 검은 점 끝
물음표 안에는
어떤 답이 기다리고 있을까.

무제

못한 게 아니라 안 한 거뿐이고
잘한 게 아니라 노력한 거뿐이며
틀린 게 아니라 다른 거뿐이다.

줄다리기

놓이는 줄을 손아귀에
꽉 쥐어 당겼고
코앞까지 당겨 왔는데

다시 또 너는 멀어지는 구나
잡고 또 잡고 잡으려 애써 봐도
혼자만의 애씀은
다시 붙잡을 수 없던 거구나.

이별

설렘이 없는 게 아니라
느끼지 못하는 거고

사랑이 변한 게 아니라
사람이 변했던 거고

표현이 없었기에
착각하게 되었던 거다

사랑하지 않았다고.

그림자

환한 미소 뒤엔 눈물이 있었고

늘 밝고 자신 있던 모습 뒤엔

슬픔과 무수한 노력이 있었다.

버스

다양한 사람들을 볼 수 있는 유일한 휴식처
각기 다른 표정들을 보며 그들의 표정과 생각을
관찰해본다

바삐 움직이며 흘러가는 긴 세월의
흔적들이 담긴 것들을 보며
한편의 안쓰러움 과 심심치 않은 위로와 존경심으로
마음 한편 자리매김 하곤 한다.

지친 몸을 이끌어 주는 유일한 휴식처
많은 이들의 무게를 짊어지고
각자의 도착지로 이끌어 주는 작은 휴식처
오늘의 노고를 격려해주는 휴식처 속에서

오늘을 보내본다.

그때만이

그때만이 볼 수 있는 중요한 것들
그때를 지나 놓쳐버린 중요한 것
돌이킬 수 없다는 걸 느낄 땐
이미 많이 지나치고 놓쳤다는 것을
이제야 알게 되었다

그때는 저축이 아니고
그때는 사치가 아니며
마땅히 누릴 수 있는 권한이자 의무라는 것을
이제야 알게 되었다.

그 시절

모든 게 불안정하고
겁 없고 아무 생각 없던
그저 하루를 노는데 집중하기 바빴던
그 시절

하루빨리 성인이 되길 간절히 원했던
그 시절이 지나
성인이 되어 다양한 경험을 쌓으며
정신없이 지나왔던
그 시절

어느덧 시간이 지나 곧 마주할
어른으로 가는 과정 앞에서
시간이 멈추길 바라게 되는
지금 그 시절.

어른이 되기 위해

철이 든다는 건
책임감이 생긴다는 거고

책임감이 생긴다는 건
포기할 게 많아진 다는 거고

포기할 게 많아진 다는 건
어른이 되어 가는 거겠지.

조언

매일 해주는 조언도
매일 듣는 조언도
횟수가 늘어날수록

누군가에겐 상처가
누군가에겐 잔소리로

원래의 본질이 훼손되어
느껴지는 의미가
부정적으로 다가온다.

바람

불면 부는 대로
오면 오는 대로
가면 가는 대로

정처 없이 어디로 갈지
어디로 튈지
아무도 알 수 없는

그저 느낄 수만 있는 바람처럼
나에겐 너도 그렇다.

오디션

세상에 수없는 심사위원이 존재한다
가는 곳! 너도나도 재도
모두가 심사위원

회사에도 길거리에도
어딜 가나 빠지지 않고
등장하는 심사위원

24시간 중 수많은
오디션을 치르느라 정신이없다
여기서도 저기서도

심사 없는 곳 어디 없나
오늘도 내일도 자의든 타의든
계속 진행될 오디션.

이계절의 봄

너에게도 봄이 왔듯이
나에게도 봄이 왔다
설렘이 가득해지는 기분을

느끼게 될 때면 잊고 지냈던
기분 좋은 감정들이
너도나도 튀어나와

나를 기분 좋게 만든다
이 계절의 봄이 오래 머물 수 있길.

희생

그대의 손의 남긴 흔적들이
많은 이들에게 잊지 못할 기억을
선물해 주었네요

짓눌리고 찢기고 상처만이 가득한
그대의 마음과 몸은 어떠한 거로도
보상받을 수 없지만

그대의 희생이 많은 이들에게
영원히 기억으로 남게 될 거에요
그대가 있어 든든하고 안전한 하루를
보낼 수 있어 감사함을 느끼는 오늘입니다.

부모님

그들은 늘 본인의 순위를 후 순위로 두고
그들은 늘 본인을 희생하여
챙겨주고 걱정하기 바쁘다

그들은 늘 미안함으로 가득한 채
미안하다는 말을 입에 달고 살며
그들은 늘 지나버린 지나쳐버린 과거의
시간 속에서 살아간다

나에게 그들은 늘 존경과 미안함 감사함으로
가득한 존재이며 그들은 늘 나에게 너무 소중한
사람인 것을.

비로소 보이는 것

눈을 뜨고 보아도 보이지 않는다
눈을 뜨고 찾아봐도 보이지 않는다
꽁꽁 숨어 버린 너는 도저히 눈을 뜨곤
보이지 않는다

눈을 감고 느껴본다
오감으로 전해지는 너를 느껴본다
보이지 않는 것이 아니라

너를 받아들일 준비가
안되었다는 것을 느껴본다.

변하지 않는 순간

이번 생이 처음이라
이렇게 살아도 되는 줄 알았고
저렇게 행동하면 되는 줄 알았다

다시 태어나 새 삶을 얻으면 바뀔 줄 알았고
그저 그렇게 처음이니까 그럴 수 있다 합리화했으며
지금 이 순간에도 시간과 상황을 탓하며 돌아오지 않는

과거에 집착할 뿐이다.

안녕

오늘도 안녕
오다가다 마주하며 건네는 인사말처럼

오늘의 하루도 내일의 하루도
그저 무사히 지나가고
다가오는 그런 하루가 되길

안녕.

순응

누군가에게 닥쳐오는 불행이
누군가에게는 행복이 되고
누군가에게 작고 사소한 것들이
누군가에게는 간절함이 된다는 것을.

편견

바라보다 그 사람의 인상을
바라보다 그 사람의 행동을
바라보다 그 사람의 말투를
바라보다 그 사람의 감정을
보았노라 그 사람의 모든 거짓을

감아보았다 그 사람의 인상을
감아보았다 그 사람의 행동을
감아보았다 그 사람의 말투를
감아보았다 그 사람의 감정을
보았노라 그 사람의 진심을.

달콤한 나의 도시

달콤한 나의 도시
달달함의 흠뻑 젖어 모든 걸 날려주는
달콤한 나의 도시

누구나 편하게 두드릴 수 있는
달콤한 나의 도시
서로만의 공간을 이루어

작은 도시를 만들고
아무런 방해조차 받지 않는
나만의 도시 속에서
달달함의 취해본다.

길

길 위에 덩그러니 혼자 놓여
흔들어 대는 화살들 속에서
몸을 피하기 위한 길을 찾으며
나의 몸을 숨겨본다

상처와 찢긴 마음을 이끌고
이리저리 몸을 피할 길을 찾다 보니
몸을 치유할 공간도

나를 도와줄 귀인도 만나며
피하기 바빴던 나약한 마음을
단단하게 잡아본다

정처 없이 돌고 돌아
제자리걸음이어도 내딛는 나의 발걸음이
새로운 길을 인도하리라.

자극제

시작이 있으면 끝이 있고
끝이 있으면 시작이 있듯이

만남이 있으면 이별이 있고
이별이 있으면 새로운 만남이 있다

새로운 시작과 새로운 만남은
늘 가슴 떨리고 설레며
나의 오감을 자극 해주는 자극제이다.

용기

고놈 참 어렵다
한발만 내디디면 되는데
딱 한 발짝만 더 가면 되는데
고놈 참 어렵다.

지우개

꾹꾹 눌러 쓴 자국은
문지르고 문질러도 희미한 자국이 남아
깨끗이 지워지지 않는구나

새로운 종이 위에 가볍게 눌러 쓴 자국은
스치듯이 문질러도 흔적조차 남지 않고
깨끗이 지워지는구나

누군가에게 받은 상처는 시간이 지나도
오래도록 자국이 남아
오래도록 기억 속에서 지워지지 않는구나

새로운 시작이 상처를 덮어줄 용기와 만나
좋은 기억으로 가득할 때
오랜 자국이 오랜 기억이 좋은 기억으로
덮어져 깨끗이 지워지는구나.

그날을 보낸다

알면서 모르는 척 느껴지면서 못 느끼는 척
그날이 그 순간이 오지 않기를
보내줘야 한다는 걸 알면서 잡고 있는 순간은
정말로 잔인하고 지옥 같다

놓아줘야 한다는 믿고 싶지 않은 순간이
참으로 찢겨 가는 고통의 시간 같다
시간이 멈춰 그 순간이 오지 않기를

내 손이 놓으면 끝나는 날이 오지 않기를
빌고 빌었던 그 날의 추억.

무뎌짐

한번 무뎌지기 시작하면
끝도 없이 무뎌지는구나
고장이 나 버린 나의 감정 생각 행동
모든 신경세포

아무런 감흥도 반응도 없는
모든 것이 그저 그러려니
반응조차 사치인 거처럼
무뎌질 때로 무뎌져 버린
모든 신경세포

무뎌진 다는 건 모든 것을
잃는 느낌이구나.

노력

노력이 전부가 아니더라
노력을 해도 노력이였다
타고난 재능을 넘는 노력은 없더라
노력은 노력 이였다

애쓴다고 다 되는 게 아니더라
그저 노력만 했을 뿐이다
노력해서 모두가 이루어졌다면
노력이란 존재 하지 않을 것이다

알면서도 해야만 하는 노력
그저 노력이 노력했다.

물들어 가는 일상

평범했던 나의 일상 속
스며든 너로 물들어 가는 나의 모습
빛 이 지면 찾아와 속삭이는 너와 나는
물들어 가는 일상을 함께했지

함께했던 일상 속 속삭임이 잦아들 때면
저물었던 빛이 울려 퍼지고
너와 나는 작별을 마주했지

평범했던 나의 일상 속
빛이 저물어 속삭임이 가득한
너로 물들 길 기다린다.

퇴근중

초점 없이 바라본 창밖에는
우연히 마주친 네가 있다

짓눌린 머리 턱밑까지 내려앉은 눈그늘
정신이 빠져나가 시선 한번 주지 않는

너의 모습은 오늘 하루를 말없이
대변해주고

그런 너에게 속삭이듯 내뱉는 말
고생했어 오늘도.

행복이란

행복은 거창하고 대단한
결과물이라 생각했는데
지금 앉아 시간을 바라보며
나의 하루를 보고 있자니

단조롭고 반복되며
사고했던 모든 것들이
진정한 행복이었구나

매일 반복되고 옆에 붙어있어
느끼지 못했던 당연한 것들
작은 것들이 작다 느껴졌던
모든 것들이

진정한 행복이었구나.

분홍잎 물들 때

흩날리는 분홍 물결을
보고 있자니 네가 왔구나
마음을 흔들어 대는 바람을
느끼고 있자니 네가 왔구나

온 세상이 너로 물들어
지쳐 있는 마음을 소생하는
너를 마음으로 느껴본다

오늘이 지나 너를 기다리는
긴 시간이 후회되지 않게
온 마음을 모아 너를 담아 본다.

번아웃

검게 변할 대로 변해 버린 마음
지쳐 잠들기 바빴던 나의 육신
주위를 둘러볼 여유조차 없었던
나의 시간

밀려오는 강한 파도에 휩쓸려
중심을 잃고 떠내려가던
나의 일상

부여잡을 손도 부여잡을 힘도
사라지는 지금 그 순간이
나에게는 무척 버겁게
느껴지는구나.

경험이 되어

큰 산처럼 느껴지던 것들도
마주하니 손톱만도 못했구나

위협이 도사리는 미지의 세계 같던 것들도
마주하니 내가 살던 세계 속이었구나

도전이라는 두 단어가 내게 준
값진 교훈처럼 너를 마주하고 있는

지금의 나 자신이 비상하는 날이 되길.

아버지

나의 인생의 절반을 희생했다
가족들을 위해 나의 삶을 포기하고
헌신해왔고 그 시간은 추억이 되었네

용기내 그 시절 향수를 자극하고자
내밀었던 그 순간은 그저 사치가 되어
공허함과 외로움이 나를 감싸는 구나

나의 축 처진 어깨가 굽을 대로 굽은 나의 등이
나의 시간을 증명해주고 증명된 나의 시간은
너의 가슴 한편에 강하게 박혀 들었구나.

그땐 알지 못했지

그땐 알지 못했지
사소함이 쌓여 행복이 된다는 것을

그땐 알지 못했지
소중한 사람들의 품이 얼마나 소중한 것을

그땐 알지 못했지
당연시하던 것들이 당연하지 않다는 것을

그땐 알지 못했지.

괜찮아 처음이니까

무얼 하든 괜찮아
처음이니까

실수할 수 있고 자책할 수 있어
그래도 괜찮아
처음이니까

내 뜻대로 되지 않아
포기하고 싶을 수 있어
그래도 괜찮아
처음이니까

무엇이 맞는지 무엇이 틀린 것인지
알 수 없어 불안할 수 있어
그래도 괜찮아
처음이니까

정답은 없어 너의 그림판 속에
너를 그려 가고
지우고 그려 가는 것이
우리의 인생이니까

괜찮아 처음이니까.

간절함

모든 것에 간절했고
간절했기에 기회가 왔다
기회가 생겨 꿈만 같고
꿈을 꾸었더니 현실이 되었다.

새벽4시

감성 충만한 새벽
빗소리의 젖어 마음 한쪽 쓸쓸해지던 그 시간
뚝뚝 떨어지는 굵은 빗방울들이
마음을 대변해주네

외쳐보고 싶다
어떤 소리든 어떤 말이든
빗소리에 묻혀 사라질 테니

감성 충만한 새벽
많은 생각들로 잠 못 이루는 이 시간
이 또한 오늘만큼은
떨어지는 빗방울에 섞여 흘러가겠지

좋았던 모습도 미웠던 모습도
앞으로의 있을 걱정 또한 흘러가겠지.

과거는 추억이자 회상

돌이켜 보았다 그 날의 시간을
돌아보았다 지나온 나의 추억을
눈을 감고 과거의 시간을 지켜보았다

찬란했을 거 같은 그 날의 시간과 시절을
눈을 뜨고야 알게 되었다
지금과 과거는 똑같다는 것을

마음이 흔들릴 때면 문득문득
머릿속 전체를 휘감는 과거에 사로잡혀
시간 여행을 하는 너를 보았다

상상 속 나래로 지어지던 과거에
나를 담고 깨어날까 두려워하던
너를 보았다

발이 묶여 오도 가도 못하는 너를 보며
나는 깨달았다
과거는 추억이자 회상이라는 것을.

한참을 서서 조용히 듣고 있습니다

2021년 6월 7일 초판 1쇄 발행
2021년 6월 7일 초판 1쇄 인쇄

지은이 | 최규석, 이예희, 도한욱, 문성현, 이진수

인쇄 | 아레스트
표지 | theambitious factory

펴낸이 | 이장우
펴낸곳 | 꿈공장 플러스
출판등록 | 제 406-2017-000160호
주소 | 서울시 성북구 보국문로 16가길 43-20 꿈공장1층
전화 | 010-4679-2734
팩스 | 031-624-4527
이메일 | ceo@dreambooks.kr
홈페이지 | www.dreambooks.kr
인스타그램 | @dreambooks.ceo

잘못 만든 책은 구입하신 서점에서 바꾸어 드립니다.

꿈공장+ 출판사는 모든 작가님들의 꿈을 응원합니다.
꿈공장+ 출판사는 꿈을 포기하지 않는 당신 곁에 늘 함께하겠습니다.

ISBN | 979-11-89129-90-3
정 가 | 13,000원